¡Mira donde vivimos!
Un primer libro sobre construir una comunidad

Scot Ritchie

Traducción de Roxanna Erdman

VISTA® HIGHER LEARNING   SANTILLANA USA

Para mi amiga Alita Sauve, inspiradora de comunidades —S. R.

© 2022, Vista Higher Learning, Inc.
500 Boylston Street, Suite 620
Boston, MA 02116-3736
www.vistahigherlearning.com
www.loqueleo.com/us

© Del texto y las ilustraciones: 2015, Scot Ritchie
Publicado originalmente en Estados Unidos y
Canadá bajo el título *Look Where We Live!: A First
Book of Community Building* por Kids Can Press.
Esta traducción ha sido publicada bajo acuerdo
con Kids Can Press Ltd., Toronto, Ontario, Canadá.

Dirección Creativa: José A. Blanco
Vicedirector Ejecutivo y Gerente General, K–12:
    Vincent Grosso
Desarrollo Editorial: Lisset López,
    Isabel C. Mendoza
Diseño: Paula Díaz, Daniela Hoyos, Radoslav
    Mateev, Gabriel Noreña, Andrés Vanegas,
    Manuela Zapata
Coordinación del proyecto: Brady Chin,
    Tiffany Kayes

Derechos: Jorgensen Fernandez, Annie Pickert Fuller,
    Kristine Janssens
Producción: Oscar Díez, Sebastián Díez, Andrés
    Escobar, Adriana Jaramillo, Daniel Lopera,
    Daniela Peláez
Traducción: Roxanna Erdman

¡Mira donde vivimos!
Un primer libro sobre construir una comunidad
ISBN: 978-1-54336-447-7

Published in the United States of America

1 2 3 4 5 6 7 8 9 KP 27 26 25 24 23 22

Contenido

La comunidad

¡Nuestros amigos están listos para ir de aventuras! Se van a divertir mucho y a ayudar a su comunidad. Hoy es la feria callejera donde se recaudará dinero para comprar más libros y computadoras para la biblioteca local.

¿Juegas en un parque cerca de tu casa o vas a una escuela que se encuentra en tu mismo barrio? A lo mejor tienes un amigo que vive en tu edificio o en tu cuadra. Esos lugares son parte de tu comunidad. Una comunidad es un grupo de personas que viven juntas en la misma área. ¡Tú vives en una comunidad!

ancianos

Yuli

Olaf

Pedro

Sandra

Gasolinera de Amir

Martín

Max

Estacionamien

Biblioteca

Heladería de
Alita

Jardín
comunitario

Cancha
de
futbol

Casa
de Nick

Feria callejera

Escuela de Sandra

Centro Comunitario

Estación de Policía

Compras locales

La primera parada del grupo es la casa de Nick. Su familia reúne dinero para la biblioteca vendiendo cosas que ya no quieren o necesitan. Esto se llama venta de garaje.

Nick quiere sacar algunos juguetes con los que ya no juega. Si logra vender todos sus dinosaurios, podrá reunir $4.00.

Nick donará el dinero que reúna. Donar quiere decir que das algo para ayudar a una buena causa. Puedes donar dinero, cosas o tu tiempo.

Sorpresas refrescantes

A Pedro le encanta ir a la heladería de Alita. Sabe que tiene que esperar su turno porque algunas personas llegaron antes que él. Está bien: ¡un helado siempre vale la espera!

Pero parece que alguien olvidó que hay que hacer la fila. ¿Puedes ver quién se ha colado?

Olaf sabe que no se permite la entrada de mascotas en los restaurantes, así que no le molesta esperar afuera con sus amigos.

¡Salpiquen!

La siguiente parada es en la gasolinera de Amir. Aquí es adonde Yuli trae su bicicleta cuando necesita echarle aire a las llantas. Hoy Amir ha organizado una fiesta donde se lavarán autos; quiere agradecer a la gente que viene a su taller. Todo el dinero que haga será para la biblioteca.

A los vecinos les gusta ir a la gasolinera de Amir porque él es muy bueno en su trabajo, y porque es parte de la comunidad.

Limpieza comunitaria

¡Oh-oh! ¡Mira la basura en el suelo!
Martín quiere contribuir limpiando.
Recoge papeles, latas y botellas para
reciclar. Al rato, todos están apoyando.

**Ser parte de una comunidad significa ayudar
a mantenerla limpia y bonita.**

¡Agarra una brocha!

Esta es la escuela de Sandra. La clase de Arte es una de sus favoritas porque a ella le encanta pintar. ¡Mira cuánta gente hay en la comunidad a la que también le encanta pintar!

Amigos y vecinos están trabajando unidos para hacer un mural gigante. Parte de lo que constituye una comunidad es reconocer a todas las personas que la integran.

Trabajar y jugar juntos ayuda a crear una comunidad fuerte.

Jóvenes y viejos

Pintar es un trabajo duro. ¡Es hora de un descanso! Sandra sabe dónde hay personas vendiendo limonada como parte de la feria.

El abuelo de Sandra vive en un hogar de ancianos. A ella le encanta ir a visitarlo porque todo el mundo tiene magníficas historias que contar. ¿Tienes algún pariente mayor que viva cerca de ti?

Las personas que viven en hogares de ancianos han tenido una larga vida. Son una parte muy importante de la comunidad.

Una parada rápida

Pedro tiene que hacer una parada rápida en la biblioteca para devolver unos libros. Y también por otra razón: ¡bebió demasiada limonada! Los edificios públicos por lo general tienen servicios sanitarios para las personas que los visitan.

Las bibliotecas son una parte importante de la comunidad. En ellas puedes leer y sacar libros en préstamo, usar la computadora o hacer la tarea con tus amigos. Y, a menudo, las bibliotecas tienen tableros de anuncios con información acerca de eventos locales.

¡MUCHAS GRACIAS!

Mira cómo crecen tus plantas

Martín quiere visitar el huerto comunitario, donde la gente comparte un amplio terreno para cultivar flores y verduras. Muchas personas del vecindario tienen una parcela aquí. ¡Es una gran manera de hacer amigos!

Hoy algunos vecinos están vendiendo lo que han cultivado. Van a donar a la biblioteca el dinero que ganen.

En un huerto comunitario puedes cultivar tus propios alimentos. ¿Qué sembrarías? ¿Frijoles? ¿Tomates? ¿Calabazas?

¡Goool!

A Yuli le gusta la jardinería, pero quiere seguir andando. Algunos de sus amigos están jugando hoy un partido especial de futbol, y ella quiere verlos. Pero, ¿quién es ese jugador de cuatro patas que está en medio de la cancha?

Pertenecer a un equipo se parece mucho a vivir en una comunidad: cuando más te diviertes es cuando eres justo con los demás y todos trabajan unidos.

Trabajadores comunitarios

Nick quiere hacer otra parada en la estación de Policía. Los policías ayudan a mantener a la comunidad a salvo al asegurarse de que todos obedezcan las leyes. También ayudan a personas que están perdidas, lastimadas o asustadas. Hoy están regalando silbatos de seguridad con motivo de la feria.

Hay muchos otros tipos de trabajadores comunitarios, como los guardias de tránsito, los empleados de la sanidad pública, los bomberos y los paramédicos. ¿Se te ocurren otros trabajos que las personas llevan a cabo para mantener tu comunidad segura y que funcione sin contratiempos?

24

¡Haz tu propia comunidad!

Cuando encuentras un grupo de personas a las que les gusta lo mismo que a ti, también es una forma de hacer comunidad. No importa si eres joven o viejo, si tienes experiencia o eres nuevo en algo: tú puedes enriquecer una comunidad con solo unirte a ella.

¿Qué tal si creas tu propia comunidad? ¿Qué te gusta hacer? ¿Nadar? ¿Bailar? ¿Hablar otro idioma?

¡Todos unidos!

¡Qué gran feria! Ya todos los niños están ayudando, pero ¿adónde fueron? ¿Puedes encontrarlos?

No hay límite en las cosas que puedes hacer para ayudar a construir tu comunidad. ¿De qué maneras puedes ayudar a las personas que te rodean?

Haz un rompecabezas

Hay muchos elementos en una comunidad, pero de alguna manera todos encajan, un poco como las piezas de un rompecabezas. Sigue estos pasos para hacer un rompecabezas con un dibujo de tu comunidad.

Vas a necesitar: crayones, plumones o lápices de colores; una hoja de papel blanco; una hoja de papel fomi o cartón del mismo tamaño que el papel blanco para hacer una base; pegamento y tijeras.

Paso 1: Dibuja en el papel una imagen colorida de tu vecindario o tu comunidad.

Paso 2: Dibuja un rompecabezas parecido a este en la base de papel fomi o cartón. Las piezas no tienen que ser todas del mismo tamaño, pero debe resultarte fácil recortarlas.

Paso 3: Pega el dibujo de tu comunidad en la parte de atrás de la base de papel fomi o cartón, del lado que está en blanco. Deja que seque el pegamento.

Paso 4: Con cuidado, recorta las piezas del rompecabezas siguiendo las líneas. (Tal vez quieras pedirle a un adulto que te ayude a recortar).

Paso 5: Revuelve las piezas del rompecabezas, ¡y a ver si puedes armarlo!

Palabras para aprender

comunidad: un grupo de personas que comparten algo en común, como el vecindario en que viven, intereses o pasatiempos.

huerto comunitario: un huerto compartido por los miembros de una comunidad. A veces las personas tienen su propia parcelita y cada quien se encarga de la suya, y a veces todos trabajan unidos para cuidar el huerto entero.

trabajador comunitario: alguien cuyo trabajo contribuye a que la comunidad se desarrolle con tranquilidad y seguridad. Los guardias de tránsito, los empleados de la sanidad pública, los bomberos, los paramédicos y los policías son ejemplos de trabajadores de la comunidad.

donar: dar tiempo, dinero o cosas a organizaciones benéficas o alguna buena causa.

mural: una gran pintura hecha sobre una pared o techo.

edificio público: un edificio que todo el mundo usa, como una biblioteca o un museo.

reciclar: un proceso que permite que algo se reutilice. Muchas comunidades tienen programas de reciclaje para materiales como papel, plástico y vidrio.

hogar de ancianos: un edificio donde viven solamente personas de la tercera edad, por lo general en sus propios departamentos o dormitorios.